Air a sgrìobhadh
le Pauline Mackay

Dealbhan le
Brian Robertson

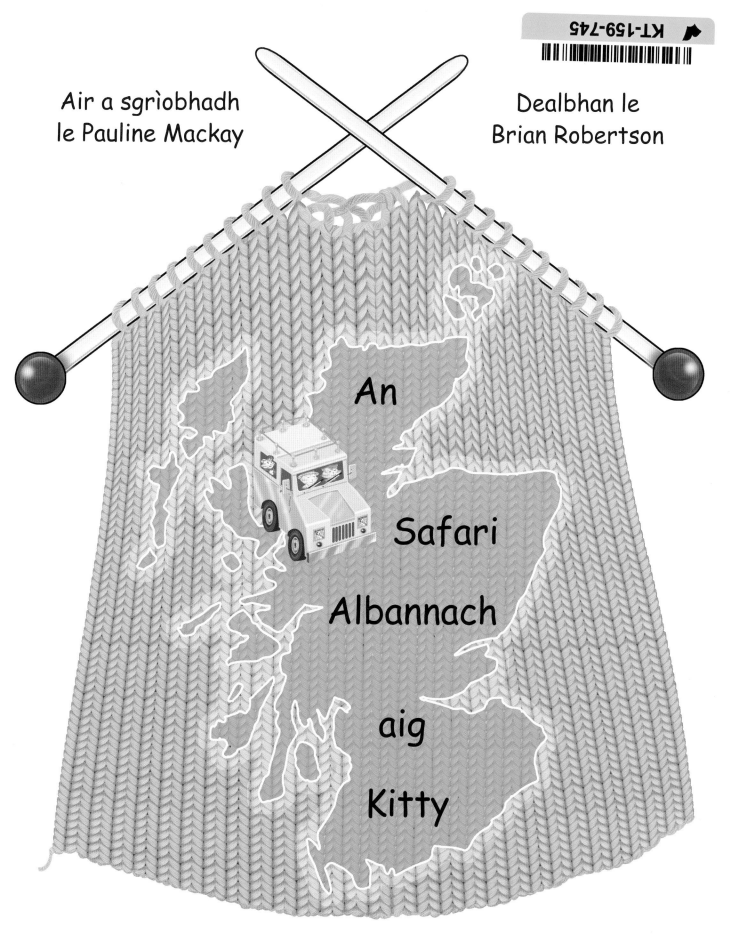

An

Safari

Albannach

aig

Kitty

Air eadar-theangachadh le Steaphan MacRisnidh

'S fìor thoil le Kitty Purry fighe, ceart coltach ri a màthair.

A' gliogadaich, a' glagadaich,
a' gliogadaich, a' glagadaich
abair port sona aig bioran Kitty.
Clòimh dathach a' dannsa gu mear a-null 's a-nall –
a' chuairt 's a' chuairt tionndain,
a' chuairt 's a' chuairt tionndain –
a' toinneamh 's a' tionndadh nan iomadh seòrsa rud.

Ged a bhiodh i air chuairt, tha na bioran aice nan drip.

Gliog-glag. Chan eil dad aig 'Teko, dòbhran an Eilein Sgitheanaich' leis an cluich e gus an dèan Kitty bàl buidhe dha.

Gliog-glag. Tha na mùtanan-cluaise
purpaidh nan tìodhlac smaointeachail
don aon-adharcach àrd an Inbhir Nis.

"Tha e fuar is gaothach shuas an sin," tha
Kitty ag ràdh, 's i beagan a-mach à anail.

Ann an Dùn MhicDhuibh, tha Dadaidh a' togail dealbhan gu leòr dhe na 'Seirceanan Airgid'. Tha e a' gabhail iongnadh 's ag ràdh, "Cia mheud a tha ann?"

"Tha còir aig Hercule Purry gnothach a ghabhail ris a' chùis seo."

Gliog-glag. Naoi aonanagan gorma don sgadan ghleansach.

Sin thu fhèin Hercule!

Sin thu fhèin Kitty!

Gliog … Mo chreach! Dh'fhaoidte nach e deagh bheachd
a th' ann plaide dhearg a thoirt don tarbh ann an Àfard!

Gliog-glag. Is math a thig na peiteanan blàth, orainds
do chòig cinn-fhionna mireagach air latha fuaraidh.
"An ann san Antartaig a tha sinn?" tha Hercule
a' faighneachd le crith-fhuachd air.
"Chan ann," tha Mamaidh ag ràdh le gàire, 's
i ga fhasgadh. "An-diugh, tha sinn an Dùn Dè."

Abair h-ulaidh h-allaidheachd air sràidean Dhùn Èideann!
Agus seall! Dà shioraf glè annasach!
Gliog-glag. Tha Kitty toilichte leis na h-ochd moganan
pince aca.
"Tha fhios a'm nach eil sinn an Afraga," tha Hercule ag ràdh
gu sunndach, "chionn, chan fhaic mi leòmhannan sam bith."

An dèidh dhaibh tuilleadh dhen bhaile rannsachadh ge-tà …
Gliog-glag. Tha Kitty air crùn òir fhighe do rìgh nam
beathaichean uile.
"Feumaidh gu bheil sinn an Afraga a-nis, Hercule,"
ars' ise gu h-aimlisgeach.

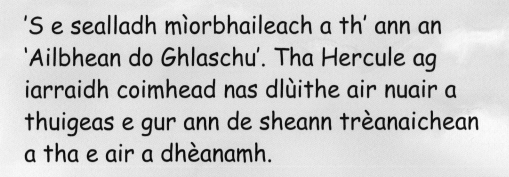

'S e sealladh mìorbhaileach a th' ann an 'Ailbhean do Ghlaschu'. Tha Hercule ag iarraidh coimhead nas dlùithe air nuair a thuigeas e gur ann de sheann trèanaichean a tha e air a dhèanamh.

Gliog-glag. Gliog-glag. Tha Kitty am beachd gu bheil fuaim nam bioran aice coltach ri trèan, 's i a' fighe stocainn-gnois ann an uaine nan rathaidean-iarainn.

Glio…gliog-glag. Glio…gliog-glag. Tha uiread iomnaidh air na bioran 's gu bheil iad a' call lùb no dhà a' dèanamh miotagan donna ann an Allabhaigh.

"Sin agad luch MHÒR!" tha Hercule a' cagarsaich.

A' gliogadaich 's a' glagadaich. A' gliogadaich 's a' glagadaich.
A' gliogadaich 's a' glagadaich. A' gliogadaich 's a' glagadaich.

Tha Kitty aig an taigh a' fighe stuic stiallach
do 'Eich-uisge' na h-Eaglaise Brice. Bidh
a spògan beaga sgìth dha-rìribh.

An urrainn dhut tomhas carson?

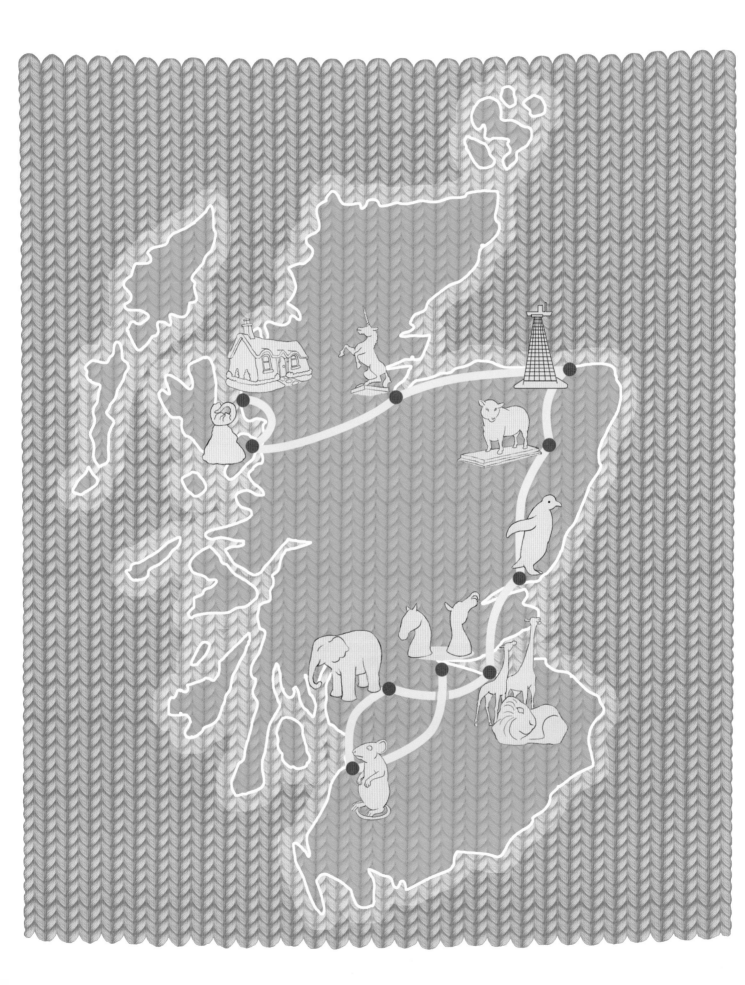

Air an ath thuras aca a Dhùn Èideann, tha an teaghlach Purry a' dol a thadhal air 'Greyfriars Bobby'.

Dè am beathach a tha seo?

Dè bhios Kitty a' fighe dha, nad bheachdsa?

A bheil ìomhaighean-beathaich ann faisg air an taigh agad?

Do Anna Holsson, a bheothaich smuain an leabhair seo.   P.M.

Foillsichte le Ablekids Press Ltd
46 Rathad Bhaile na Faire
Inbhir Nis
IV3 5PF
Alba

www.ablekidspress.com

Teacsa © 2017 Pauline Mackay
Dealbhan © 2017 Brian Robertson
Eadar-theangachadh © 2017 Ablekids Press
Tiotal tùsail: Kitty's Scottish Safari

Gach còir glèidhte.

ISBN 978-1-910280-27-0

Air a chur ann an clò le Bassman Books
Air eadar-theangachadh le Lexus Translations Ltd
Air a chlò-bhualadh ann an Alba le Bell & Bain Ltd

Tha clàr-fhiosrachadh foillseachaidh don leabhar seo ri fhaighinn
bho Leabharlann Bhreatainn